Originally published in English by Oxford University Press as *Just Like Tonight*

Translated by Madelca Domínguez

ISBN 13: 978-0-545-12919-0
ISBN 10: 0-545-12919-2

12 11 10 9 8 7 6 5 4 3 2 1   8 9 10 11 12 13/0

First Spanish printing, November 2008

AMBER STEWART y LAYN MARLOW

Botón dormilón

SCHOLASTIC INC

New York • Toronto • London • Auckland • Sydney
Mexico City • New Delhi • Hong Kong • Buenos Aires

A Botón le había llegado la hora de dormir.

—Mi lindo bebé tiene que tener mucho
sueño —dijo mamá—. Ha sido un día muy agitado.
—Que tengas dulces sueños —dijo papá.

Cuando le dieron un beso de buenas noches,
Botón recordó todo lo que había hecho durante el día,
y se preguntó qué soñaría.

Recordó el sol al amanecer…

haber escalado árboles
con sus hermanas…

haber jugado cerca de su
estanque favorito…

y haber buscado
insectos interesantes.

Fue entonces cuando Botón vio el árbol
caído que parecía un oso enorme.

Botón había olvidado ese árbol oso que daba tanto miedo.
¿Qué pasaría si se le apareciera en sueños esa noche?

No podía arriesgarse a que así fuera.

—¡Mamá! ¡Papá! —llamó.

Botón les contó acerca del árbol oso.

—¿Quieres que te cuente algo agradable antes de dormir? —dijo papá—. Los pensamientos buenos siempre embellecen los sueños.

—Sí, por favor —dijo Botón, y sintió que le tenía menos miedo al árbol oso.

—Bueno —dijo papá—. Te voy a contar de
un día en que no pasó nada que diera miedo. Un día
tan tranquilo y feliz que, si piensas
en él antes de dormir, hará que tengas dulces sueños.

—¿Qué día, papá? —preguntó Botón.
El papá le dio un besito en la nariz y dijo:
—El día en que naciste...

—Era una de esas mañanas con neblina
que anuncian un día soleado.

—¿Como hoy? —preguntó Botón—. Cuando
me desperté en la mañana no podía ver más
allá de los arbustos llenos de bayas.

—Sí, justo como hoy —dijo papá sonriendo—. El día en que naciste yo encontré las bayas más jugosas y la miel más pegajosa.

—¿Como hoy? —preguntó Botón,
recordando que se había comido las bayas
más dulces para el desayuno mientras se
calentaba bajo el sol resplandeciente.

—Sí —dijo papá—, pero más ricas todavía.

—El día en que naciste —continuó papá—,
tus hermanas mayores estaban tan contentas
que te hicieron un regalo muy especial…

—¿Como mi piña de pino y mi botecito?

¿Y también querían jugar conmigo?

—Sí —dijo papá riendo—. Querían jugar contigo desde el mismo momento en que te vieron, pero mamá dijo que debían esperar a que crecieras un poquito…

—Y ya he crecido —dijo Botón—. Hoy
jugamos tanto que tuvimos que bañarnos
en el río para refrescarnos.

—Al llegar la tarde —dijo papá—, te tomé
en mis brazos para que vieras tu primera puesta de sol,
y te canté una canción de cuna.

—Como cada tarde —dijo Botón bostezando.

Le encantaba observar cómo el sol desaparecía en el horizonte

mientras cantaba con su papá canciones que los hacían reír.

—Y en tu primera noche —susurró papá—,
estabas tan cansado que te quedaste dormido rápidamente.
Mamá y yo te cuidamos para que ningún árbol oso
te asustara y te diera pesadillas.

—¿Como hoy? —preguntó Botón Dormilón.

—Sí —respondió papá.

Y papá tuvo razón...

Botón no tuvo más que dulces sueños.